훈장님의 새벽 시간

훈장님의 새벽 시간

발　행 | 2023년 12월 14일
저　자 | 강경희
기　획 | 손유진
펴낸이 | 한건희
펴낸곳 | 주식회사 부크크
출판사등록 | 2014.07.15.(제2014-16호)
주　소 | 서울특별시 금천구 가산디지털1로 119 SK트윈타워 A동 305호
전　화 | 1670-8316
이메일 | info@bookk.co.kr

ISBN | 9979-11-410-5957-6

www.bookk.co.kr

훈장님의 새벽 시간

강경희 지음

물극필반(勿極必反)

“사물이 극에 달하면 반드시 반전하게 된다.”

달도 차면 기울 듯,

세상의 모든 것들은 필연적으로 변화한다.

지금까지와는 정반대의 국면에 펼쳐진다.

CONTENT

프롤로그

인생 2막의 시작

"좋은 잠이야 말로 자연이 인간에게 부여해 주는 살뜰하고 그리운 간호부다."라고 셰익스피어가 말했습니다. 잠이 보약입니다. 이렇게 보약 같은 잠 잘 자고 있나요?
깊은 잠을 자고 개운하게 일어났던 적이 언제인가요?
매일 아침 '5분만 더'를 외치며 하루를 시작하는 사람이 많습니다. 늘 빠듯하게 일어나 허겁지겁 출근과 등교를 하는 사람들이 많습니다. 아침엔 늘 후회와 자책으로 시작하기 쉽습니다.
알람이 울리지 않아도 알아서 일어나는 몸으로 만들어야 합니다. 이렇게만 될 수 있다면 인생이 역전됩니다. 제가 지금 그 경험을 하고 있습니다.

저는 잠을 잘 잤다고 느끼며 일어났던 적이 결혼하고 한 번도 없었습니다. 그만큼 결혼 생활이 힘들었습니다. 먹고사는 것도 육아도 너무 힘들었습니다. 제일 힘들었던 것은 부부간의 관계가 생각만큼 잘 지내지 못했습니다. 배우자가 계속 다른 곳을 바라봤습니다. 결국, 더 견디지 못하고 18년의 결혼 생활을 잘 합의해서 정리했습니다.

힘든 일을 어렵게 마무리하고 인생 제2막을 열심히 살기로 마음가짐을 하고 잠자리에 들었던 적이 있습니다. 18년 만에 숙면을 자고 일어났는데 너무 기분이 상쾌하고 좋았습니다. 아침인 줄 알고 시계를 보았는데 새벽 4시였습니다. 머리는 맑았고 무엇이라도 해야 할 것만 같은 상쾌한 상태였습니다. 이때부터가 집중적으로 새벽 기상이 시작되었습니다.

새벽 4시~4시 30분 사이 기상을 합니다. 자녀들이 등교하는 시간은 7시 30분~8시이니까 저의 온전한 시간은 2시간 정도 확보가 되었습니다. 밀도 있는 새벽 시간에 평소에 하고 싶었던 독서와 책 집필을 시작했습니다. 낮과 밤의 시간과는 비교도 되지 않을 만큼 책 집필의 속도와 양이 많았습니다. 새벽에 집필하고 싶어 더 이른 저녁 시간에 취침에 들어 평소보다 더 이른 새벽 기상을 하기도 했었습니다. 새벽 기상을 2020년에 시작해서 지금까지 이어오면서 책 3권을 출간하고, 현재 출간된 책의 개정판 준비와 새 책 출간을 위해 출판사와 협업하고 있습니다. 크몽에 전자책 6권도 출간했으며 그리고 지금 이 책을 또 집필하고 있습니다.

저의 인생 2막은 새벽 기상 덕분에 크게 변화하고 있음을 느낍니다. 운명이 좋은 쪽으로 바뀌어 가는 것을 경험하고 있습니다. 힘들지 않은 인생은 없습니다. 다만 그 힘든 인생의 사건에 어떤 의미를 부여하느냐가 중요한 것입니다. 낙담하지 않았습니다. 받아들이고 지금 현재 내가 할 수 있는 일부터 찾았으며, 미루지 않고 행동으로 바로 옮겼습니다. 내가 계획한 대로 삶을 꾸려 나갈 수 있게 되자 매일 조금씩 결혼 생활 동안 손상되었던 자존감은 회복되었고, 무한한 자신감도 생기게 되었습니다. 지금은 이보다 더 좋을 수 없다는 즐거움으로 매일을 살아갑니다. 이 모든 것은 바로 '새벽 기상' 덕분입니다.

이 책에서 저의 행복한 인생을 만들게 해 준 새벽 기상에 대해서 간결하게 정리해서 알려드리려 합니다. 이 책을 읽는 독자분들도 새벽 기상을 실천해서 기적 같은 인생 2막을 살아가시길 기원합니다.

먼저 1장에서는 새벽 기상으로 운명을 바꿀 수 있다는 이야기를 합니다. 진정한 나를 찾아내어 내가 원하는 인생 설계에 대한 이야기입니다. 2장에서는 새벽 기상의 실전 방법을 정리합니다. 새벽 시간에 실천하는 아침 루틴에 대해 소개합니다. 마지막 3장에서는 새벽 기상을 했을 때 오는 긍정의 효과들을 공유합니다. 왜 새벽 기상을 해야만 하는지 새벽 기상의 장점을 알려드립니다.

매일 조금씩 변화하는 것을 쉽게 보면 안 됩니다. 점이 모이면 선이 되고 선이 면이 되며, 면은 결국에 입체를 만들어냅니다. 하루아침에 바로 변하지 않지만, 오늘을 어떻게 사느냐에 따라 내일이 변하고 나아가 인생을 변화시킵니다.

지금부터 바로 시작해야 합니다. 중년분들에게는 새벽 기상을 더욱 추천합니다. 자녀들을 어느 정도 다 키웠으니 이제 나만의 인생을 살 준비를 해야 합니다. 내가 없는 인생은 있을 수 없습니다. 부모가 멋지게 바로 서면 자녀들은 그 부모의 모습을 지켜보며 똑같이 바로 서게 되어있습니다. 인생의 최우선은 내가 먼저여야 합니다. 부모가 행복하면 자녀도 행복합니다.

이제 독자분들의 인생 2막의 변화를 시작해 볼 시간입니다.

1장

새벽 기상으로 운명을 바꿔라

훈장님의 새벽 시간

제1화 새벽 기상으로 운명을 바꿔라

1. 산다는 것은 괴로운 것이다.

"산다는 것은 괴로운 것이다."

인생의 의미를 평생 고민하고 행복 철학의 대가인 철학자 쇼펜하우어가 말했습니다.
새벽 기상의 참맛을 몰랐을 때는 정말 산다는 것이 괴로웠고 죽지 못해 하루하루를 살아갔습니다. 세상에서 말하는 행복의 필수 조건은 바로 '돈과 사랑'입니다. 그런데 저에게는 돈도 사랑도 없었습니다. 돈이 없다면 합심해서 열심히 살아내면 생기는 것이니 견디어 낼만 했습니다. 그러나 제일 중요한 '사랑'이 저에게는 없었습니다. 병적으로 사랑을 찾아다니는 배우자로 인해 저의 마음은 갈기갈기 찢기어 더 이상 살고 싶지 않은 상태까지 갔었습니다.

살아가야 하는 이유를 찾아야 했습니다. 살고 싶어지는 이유가 절실했습니다. 자녀들 때문에 살아야 한다고 나의 삶을 합리화해보지만 그것만으로는 살 이유로 충분하지 않았습니다. 모든 불화를 내 탓이라고 말하는 배우자의 말에 나를 되돌아보기로 합니다. 나만큼 성실하고, 열정적이며, 헌신적인 엄마가 없다고 자부했는데 내 눈앞에 닥친 현실이 너무 비참했습니다. 주위 사람들에게 위로를 받아도 위로가 되지 않았고, 종교적으로 신에게 울부짖어도 답이 바로 오지 않았습니다. 숨을 허덕이며 하루를 힘겹게 살아가다가 숨을 쉬게 하는 것이 바로 새벽에 읽는 책이었습니다. 나와 같은 경험한 이들의 책, 상담자들의 책, 정신과 의사들의 책, 자기 계발서 책, 심리학 책 등등 나에게 객관적 관점을 줄 수 있는 책들을 읽으면서 저의 삶을 바로 보게 되었습니다. 책을 통해 객관화의 관점을 가지게 된 저는 충동적이지 않고 지혜롭게 홀로서기를 3년 동안 묵묵히 준비했습니다. 나의 행복을 남에게서 찾지 않고 나의 안에서 찾아가려고 했습니다. 내가 지금 불행한 이유는 상대가 원인을 주었지만, 이 사건을 어떻게 받아들이고 극복하느냐가 중요하다는 것을 알게 됩니다. 행복은 자기 밖이 아니라 자기 안에서 찾아야 한다는 철학적 지혜를 깨닫게 됩니다. 그때부터 숨이 쉬어졌고 살길을 차근차근 찾아가게 되었습니다. 그때 나이 40대 초반이었습니다. 저의 인생 2막은 40대 초부 터입니다.

통계청 발표에 따르면 2021년 한국인의 기대수명은 83.6세입니다. 우리가 100세까지 산다고 가정하면 저의 40대의 나이는 이제 다시 시작해도 무엇이든 이룰 수 있는 젊은 나이였습니다. <김미경의 마흔 수업> 책에 김미경 작가는 꿈을 중심으로 생애주기를 다시 정리합니다. 태어나서 20세까지는 유년기이고, 20대부터 40

대까지의 30년을 첫 번째 꿈을 가지고 뛰는 '퍼스트 라이프(Frist Life)'이며, 50대부터 70대까지의 30년은 두 번째 꿈을 가지고 뛰는 '세컨드 라이프(Second Life)라고 정의합니다. 그리고 80세부터 100세까지가 노후라는 것입니다. 이 꿈의 나이로 치면 저의 40대는 첫 번째 꿈을 꾸는 나이에 불과합니다. 공자는 40이라는 나이를 '불혹(不惑)'이라고 해서 '의혹이 없는 나이'라고 정의하기도 했습니다. 그동안 가정을 깨지 않기 위해 또는 세상일에 정신을 빼앗겨 갈팡질팡하거나 판단을 흐리는 일이 많았는데 40세가 넘어서는 확연하게 나의 삶의 길이 확고하게 세워지는 것을 느꼈습니다. 이렇게 단단하게 삶을 살 수 있었던 것은 나만의 시간과 나와의 대화 시간을 가진 덕분입니다.

삶은 두 번 다시 오지 않습니다. 시간의 소중함을 하루빨리 깨달아야 합니다. 우리가 불행한 이유는 대부분 타인에게 의지하거나 타인과 비교해서 불행함을 느낍니다. 자신에게 집중해야 합니다. 자신의 삶에 최선을 다해야 합니다. 자신의 눈이 아닌 타인의 눈으로 자기 자신을 바라보면 반드시 불행해집니다. 지나치게 현재만을 살 필요도 없고, 불안과 걱정에 휩싸여 미래를 너무 걱정할 필요도 없습니다. 산다는 것이 괴로운 것이지만 어떻게 해야 인생이 더욱 행복할 수 있을지 고민해 본다면 우리는 충분히 행복할 수 있다고 생각합니다.

행복이란 자신의 개성과 소질에 맞도록 노력함에 따라 맛볼 수 있습니다. 평생교육이라는 말이 있듯이 우리는 끊임없이 탐구해야 하고 자기 자신에 대해 알아야 합니다. 내가 가지고 있는 장점, 내가 진정으로 원하는 것, 자신만의 행복의 방향을 설정해야 합니다. 자신을 알기 위해서는 자신만의 시간이 절실하게 필요합니다. 24시간 중에서 제일 효과적이고 중요한 시간은 바로 새벽 시간임을 제 경험을 통해서 알게 되었습니다. 독자 분들께 이런 저의 경험을 이 책을 통해서 나누고자 합니다. 보물 같은 새벽 시간을 여러분께 자세하게 소개합니다. 새벽 기상이 필요한 이유, 새벽 기상의 효과적인 실전 방법, 새벽 기상의 긍적인 효과까지 모두 저의 삶에서 터득한 지혜입니다. 자신에게 집중하는 것이 행복한 삶의 초석임을 기억해야 합니다.

2. 새벽 기상을 하는 이유를 찾아라.

"명확한 목표를 세우는 것은 인생의 내비게이션에 목적지를 입력하는 것과 같다."라고 일본의 심리 카운슬러이자 저술가인 우에니시 아키라가 말합니다.
인생의 목표가 있는 사람과 없는 사람의 시간 활용은 다릅니다. 시간을 효율적으로 활용하면서 하나씩 목표를 이뤄가는 사람들의 얼굴엔 활력이 넘칩니다.

세계적으로 유명한 동기부여 전문가인 앤드류 매튜스는 "새벽에 일어나서 운동하고 공부도 하고 사람들을 사귀면서 최대한으로 노력하는데 인생에서 좋은 일이 전혀 일어나지 않는다고 말하는 사람을 나는 여태 본 적이 없다."라고 말했습니다. 새벽 시간을 활용하여 꿈을 이루고 인생을 변화시킨 사람들은 수없이 많습니다. 가까이엔 저부터가 경험하고 있습니다.
스노우폭스 김승호 회장도 "하루에 두 번 6시를 만나는 사람이 세상을 지배한다. 해가 오를 때 일어나지 않는 사람들은 하루가 해 아래 재배에 들어갈 때의 장엄한 기운을 결코 배울 수 없다."라고 말합니다.

월트 디즈니의 CEO 로버트 아이거도 새벽 4시 15분에 일어나 자신만의 루틴을 지켜 일한 덕분에 자신의 생산성과 창의성을 유지할 수 있었다고 그의 자서전인 <디즈니만이 하는 것>에 밝힙니다. 그 밖에도 새벽 기상을 하는 유명인이 많습니다. 애플의 최고 경영자 팀 쿡, 스타벅스 회장인 하워드 슐츠, 버락 오바마, 벤저민 프랭클린, 마거릿 대처 등 세계적인 리더들은 벌써 새벽 시간 활용을 하는 사람들이었습니다.

아무리 좋은 새벽 기상이라고 해도 실천하고자 하는 동기가 생기지 않는다면 새벽 기상은 할 수 없습니다. 잠깐 며칠은 가능할지 모르지만, 계속 지속하기 어렵습니다. 제일 먼저 새벽 기상을 해야만 하는 나만의 이유를 찾아야 합니다.

제가 경험한 방법과 여러 책에서 소개하는 새벽 기상의 의지와 동기를 찾는 방법을 소개합니다.

첫째, 나만의 핵심가치를 알아낸다.

 성공 질문을 스스로에게 하면서 답변에서 특정 단어나 상황이 반복되면 그것이 바로 나만의 핵심가치가 됩니다. 예시 질문을 아래에 첨부합니다.

1. 인생의 우선순위에서 필수 과목과 선택 과목은 각각 무엇인가?

2. 원하는 것, 꿈꿔왔던 일, 생각하면 미소가 떠오르고 가슴이 뛰는 목표가 있는가? 그것은 무엇인가?

3. 왜 어떤 사람은 성공하고 어떤 사람은 실패할까?

4. 어떻게 하면 지금 여기서 나답게 살고 일할까?

5. 매일 밤 TV를 보는 천재를 이기는 방법은 무엇이 있을까?

6. 쓸모 있지만 나를 녹슬게 하는 것, 비록 무용하더라도 나를 아름답게 하는 것은 무엇인가?

7. 당신에게 미래를 알 수 있는 능력과 미래를 만들 수 있는 능력 중에 하나를 고르라면 어떤 것을 고르겠는가?

8. 다음 단계로 도약하기 위해 당장 그만둬야 하는 것은 무엇인가?

둘째, 비전보드 만들어 보기.

비전보드를 거창하게 만들려고 하기보다는 시각적으로 내가 이루고 싶은 것을 보드판에 만들어 보는 겁니다. 잡지, 신문, 주간지를 구독해서 매체들에서 보이는 좋은 자극을 주는 이미지나 문장이 보이면 가위로 오려서 잘 보이는 곳에 붙여놓으면 됩니다. 좋은 정보와 즐거움, 최신 트렌드 정보도 덤으로 알 수 있습니다. 비전보드에 성공한 자기의 모습을 상상해서 붙여놓아도 좋습니다.
또는 '캔바', '미리 캔버스' 같은 앱을 활용하면 쉽게 비전보드를 완성할 수 있습니다.

셋째, 미션과 비전 정하기

회사 조직 경영 전략적으로 설명하면 '미션'은 설립 목적, 사명을 의미합니다. 그리고 '비전'은 미션을 구체화한 목표, 미래상을 의미합니다. 즉 '미션'은 궁극적으로 추구해 가는 목적입니다. 그 목적을 향해 힘들고 어렵지만 도달 가능한 목표는 '비전'이 됩니다.

우리의 인생에도 각자의 '미션'과 '비전'이 반드시 있어야 합니다. 이것을 이루고자 하는 마음이 생기면 구체적인 계획을 수립하게 됩니다. 우리의 시간은 무한하지 않기에 시간을 효율적으로 활용하고 싶은 마음이 생기게 됩니다. 그래서 당연하게도 새벽 기상을 해야 하는 이유를 알게 됩니다.

이상적인 이미지를 시각화하면 더 좋은 결과를 낼 수 있습니다. 내가 원하는 삶의 모습을 생생하게 떠올리고, 꿈을 이루기 위해 노력하는 모습 또한 함께 상상해 봅니다.

목표가 눈에 보이는 듯이 선명하면 동기부여와 목표 의식이 확고해집니다. 새벽 기상이 저절로 됩니다. 나만 잘 되게 하는 것이 아닌 나의 성장이 사회에 또는 세계에 도움이 될 수 있다면, 지금의 나의 작은 나비 같은 몸짓에 최선을 다합니다. 언젠가는 나비의 날개의 움직임이 바다의 바람을 일으키는 초석이 됨을 믿습니다.
10년, 5년 단위의 목표를 정하고, 1년, 월 단위 목표를 정하고, 1주, 1일 단위로 목표를 정합니다. 구체적이면 좋겠지만 처음부터 목표를 정한다는 것이 쉽지 않습니다. 처음엔 대략적으로 정해두고 목표를 실현해 가다 보면 여러 번의 수정이 이뤄집니다. 더 욕심이 생기기도 하고, 도저히 이룰 수 없는 목표는 삭제되기도 합니다.

이 모든 것은 나와의 약속입니다. 그렇기에 가볍게 여길 수도 있습니다. 하지만 제일 중요한 약속은 자신과의 약속입니다. 나와의 약속을 하나하나 지켜가다 보면 그 수많은 약속이 미래의 나를 만들어갑니다. 새벽 기상을 하는 이유는 바로 이런 나와의 약속을 지키기 위한 시간 확보입니다. 꼭 새벽 4시 30분이 아니어도 괜찮습니다. 자기 상황에 맞게 나와의 약속을 지킬 수 있는 시간을 하루 2시간 이상은 꼭 가져야 합니다. 좋은 습관이 모여 내가 되는 겁니다. 매일 새벽 작은 성공을 통해 맛본 성취감은 무한한 자신감을 가지게 도와줍니다. 새벽에 경험한 자기 효능감과 자신감으로 시작하는 사람을 이길 수 있는 사람은 없습니다. 하루의 시작을 주체적으로 살 수 있고 삶의 전체를 주도하는 삶을 살 수 있게 됩니다.

"나는 힘과 자신감을 찾아 항상 바깥으로 눈을 돌렸지만, 자신감은 내면에서 나온다. 자신감은 항상 그곳에 있다."라고 정신분석의 선구자였던 안나 프로이트가 말합니다.
새벽 기상으로 자신감을 매일 가득 채울 수 있습니다.

3. 나 자신을 알라

미국 뉴욕주, 조지아주 2개 주의 변호사 자격증을 가진 변호사이자 대한민국에 새벽 기상 열풍을 일으킨 파워 인플루언서 김유진 변호사가 유재석이 진행하는 프로그램에 나와서 인터뷰 중 유재석이 질문을 합니다.

"나에게 마지막 하루가 주어진다면 어떤 일을 하고 싶으신가요?"
그때 변호사님의 대답은
"가족들과 온종일 함께하고 싶어요."라고 답을 했습니다.
그리고 MC의 마지막 질문이 이어집니다.
"그럼 마지막 한마디를 하고 떠나야 한다면?"이라고 물으니
변호사님은 반대로 부모님께 여쭙고 싶은 말이 있다고 대답합니다.
부모님께 물어보고 싶은 말은 바로
"나 잘 살았지?"입니다.

그 이후 김유진 변호사님이 출간한 <지금은 나만의 시간입니다> 책에 왜 그때 그런 답을 했는지에 대해서 이유를 밝힌 글을 읽었습니다.
변호사님의 잘 산다는 것의 의미는 매우 의미가 깊었습니다. 세상의 눈으로 보여지는 성공이 아니라 진심 자신에게 묻는 질문이었습니다.
실수하고 실패해도 멈추지 않고, 힘들고 지쳐도 포기하지 않고, 무서워도 주저하지 않고, 앞이 보이지 않아도 거침없이 달려온 것에 대한 것이었다고 고백합니다. 외로움을 극복하고, 어려움 속에서도 즐거움을 찾고, 상처를 입어도 회복할 수 있는 힘이 있고, 다른 사람들의 비판과 평가에 흔들리지 않고 당당하게 살아간 자신의 모습에 대한 확신을 가족에게 공감받고 싶어 하는 질문이었다고 합니다.

나 자신을 알아야 남을 알 수가 있습니다. 내 감정을 읽을 수 있어야 남의 감정도 읽힙니다. 내가 살아가는 이유, 내가 기뻐하는 삶의 가치를 확실하게 아는 것만으로도 삶의 주도권은 나에게 옵니다. 나 자신을 우선순위에 두고 살아가는 것이 바로 잘 사는 것이라고 생각합니다.

결혼한 여성들은 온전히 자신의 삶을 살기는 거의 불가능합니다. 출산을 하고 육아를 하다 보면 엄마의 삶은 거의 없습니다. 하루 24시간은 온전히 가족과 혹 직장을 다닌다면 직장의 일 생각으로 삽니다. 5년에서 10년 정도 이렇게 살아가다 보면 자신의 삶에 무기력과 허무감이 밀려옵니다. 저도 이때쯤 '나는 누구인가?', '나는 무엇을 위해 살고 있는가?', '나의 미래는 있는가?'에 대해 진지한 고민을 하게 되었습니다. 쉽게 답을 할 수 없었습니다. 꿈이라는 것은 기본적인 의식주가 해결되고 난 그 바탕 위에서 이뤄질 수 있다고 믿었기에 먹고사는 문제가 최우선이었습니다. 직장생활에 집중하면서 10년, 20년 후의 나의 삶과 꿈에도 시간을 할애해야겠다는 결심을 합니다.

저의 꿈은 영향력 있는 동기부여 강사가 되는 것입니

다. 꿈을 이루기 위해 애쓰는 사람들에게 힘을 북돋아 주고, 진심으로 격려와 위로를 주는 진정한 어른이 되는 것이 꿈입니다. 그런 참 좋은 어른이 되기 위해서는 먼저 제가 그렇게 살아야 하고, 살아가야 한다는 것을 알기에 한순간도 헛되이 살지 않으려 했습니다. 동기부여는 말과 글로도 가능하다고 믿었습니다. 그래서 책 집필을 목표로 잡았습니다. 책을 집필하기 위해서는 많은 독서가 필요합니다. 그래서 책을 더 열심히 읽을 시간을 확보해야 했습니다. 당연하게 새벽 기상은 필수 아닌 필수가 되었습니다. 힘든 결혼 생활을 잘 마무리하고 제가 시작한 것은 바로 독서였습니다. 힘든 결혼 생활 중에서도 독서는 늘 하고 있었지만, 이젠 쓰기 위한 독서법으로 바뀌게 됩니다. 새벽 기상을 2년쯤 하고 난 후 제 첫 에세이 <훈장님은 핵인싸> 책이 출간됩니다. 책 후기에서 압도적으로 많은 서평은 꿈을 향해 저처럼 열심히 살아보겠다고 다짐하는 글들이었습니다. 저의 책이 다른 누군가의 꿈에 도움을 주었다는 것만으로도 기쁘고 보람이 있었습니다.

지금도 나 자신을 알아가는 과정입니다. 나를 알아가기 위한 시간과 장소를 확보해야 합니다. 아무도 간섭하지 않는 나만의 시간은 새벽 시간이 좋습니다. 나 혼자 나를 돌보고 나를 알아갈 수 있는 공간도 꼭 필요합니다. 집은 가족이 공동으로 사용하는 공간이니 각자의 홀로 집중할 수 있는 공간을 가지고 있다면 건강한 가족관계가 형성된다고 믿습니다. 아들, 딸의 공부방이 있듯이 부모님의 독립된 생활공간이 있어야 합니다.

<자기만의 방>의 저자인 버지니아 울프도 여성이 글을 쓰기 위해서는 '500파운드의 돈'과 '자신만의 방'이 꼭 있어야 한다고 말하며 개인적인 공간이 필요하다고 강조합니다. <아주 작은 습관의 힘> 책에서도 모든 습관이 자기 구역을 가지고 있다고 말합니다. 목적에 맞게 설계된 공간이 있다면 습관이 쉽게 형성된다고 했습니다. 작은 밥상이라도 괜찮습니다. 자기만의 독서 공간, 다이어리 쓰는 공간, 명상할 수 있는 공간, 남들이 방해할 수 없는 공간 확보를 반드시 해야 합니다. 공간 확보가 되면 자기가 좋아하는 책꽂이, 필기도구, 노트, 아로마 향초 등 나만의 행복한 공간으로 만들어서 매일

새벽에 그 책상에 앉고 싶게 만들어야 합니다. 매일 조금씩 그곳에서 작은 성취감들을 맛보길 권합니다. 이런 기분이 쌓이면 새벽 기상은 평생 할 수 있는 좋은 습관이 됩니다.

기억하세요. 나 자신을 아는 것이 최우선입니다. 내가 좋아하는 것, 싫어하는 것, 이루고 싶은 것, 해보고 싶은 것, 혐오하는 것, 끊어버리고 싶은 것, 고치고 싶은 것, 나에 대해 더 속속들이 알아내야 내가 살아가야 하는 이유가 생깁니다. 나만의 시간과 나만의 공간에서 반드시 꼭 찾아내시길 바랍니다.

"언제나 나 자신을 기억하라.
스스로를 깊게 파고들어라.
나는 내 삶의 관찰자이자 나의 행동, 자세,
표정, 호흡, 감각, 감정의 증인이다.
다른 곳으로 뛰어오르려고 하지 말고
지금 그 자리에서 나를 관찰하라."
-조너선 프라이스-

4. 나를 바꾸면 모든 것이 변한다.

인간은 '행동의 실행자'인 동시에 그 '특성을 키워나가는 자'이며 '운명의 창조자'입니다.
내 행동의 습관을 바꾸는 힘은 외부에 있는 것이 아니라 바로 내 안에 있습니다. 행동이 바뀌면 내면도 바뀝니다. 변화된 내면이 새로운 행동을 탄생시키게 합니다. 이런 행동 끝에 운명이 바뀌게 되는 것입니다. 내 행동의 결과가 바로 나의 내면을 바꾸고 그 내면이 운명을 바꾸게 할 수 있다는 것을 믿어야 합니다.

인생의 모든 일에는 '원인과 결과의 법칙'이 내재되어 있습니다. 씨앗을 뿌리면 열매가 수확되는 것은 당연한 이치입니다. 어느 한순간에도 '생각'이 만들어내는 행동과 그 결과의 균형은 어긋나지 않습니다. 모든 인생은 시간의 흐름 속에서 변해갑니다. 비록 불운의 연속이라도, 지금 이 순간 최선의 씨앗을 뿌리면 기쁨에 넘치는 수확의 시간을 맞이할 수 있게 됩니다. 현재 지금 풍성한 열매를 수확하고 있는 사람이라도 들떠 있을 수만은 없습니다. 그도 이 순간 불행과 가난의 씨앗을 심고 있다면 언젠가 고통스러운 수확의 때를 맞이하게 될 것이기 때문입니다.
마음이 올바르게 기능하고 있는 한 그 행동이 잘못되는 일은 결코 없습니다. 물론, 때로는 좌절을 맛보는 일도 있습니다. 그러나 올바른 목표를 향해 있다면 다시 일어서고, 그것을 기회로 더 현명하고 더 강한 인간으로 성장하게 되는 겁니다.

새벽 기상을 하는 사람들은 의지력이 강한 사람입니다. 인생의 목표를 이루기 위해 하루의 시작부터 남다르게 시작하는 사람들입니다. 인생의 목표를 발견하지 못했다면 우선 눈앞의 일에 집중하면 됩니다. 중요한 것과 중요하지 않는 것, 버려야 할 것과 반드시 지켜야 할 것을 올바르게 판단만 하면 됩니다.

자신의 목적을 달성하기 위해 집중력을 발휘하면서 어떤 상황에도 적극적이고 긍정적인 자세만 갖추고 있다면 무엇이든 해낼 수 있습니다. 나약한 마음을 버려야 합니다. 할 수 없을 것 같다거나 '내가 과연 해낼 수 있을까?'라는 의심은 하지 말아야 합니다. 자신이 이루고 싶은 꿈과 목표에 모든 의식을 집중하면 반드시 이뤄집니다. 실패는 성공으로 향하는 통과점이라고 생각하면 됩니다. 처음부터 새벽 기상이 잘 되는 일은 없습니다. 365일 새벽 기상은 힘든 일입니다. 삶에는 생각하지 못한 변수가 너무 많습니다. 아플 수도 있고, 전날에 늦게까지 약속이 있어서 새벽 기상이 힘들 수도 있습니다. 그럴 때는 건강을 생각해서 잠을 충분하게 자야 합니다. 중요한 것은 기상 시간이 아니라 새벽 기상을 해서 그 깨어난 새벽 시간에 나의 꿈과 목표를 위한 노력을 얼마나 했느냐입니다.

훌륭한 정신과 지성으로 살아가는 사람은 가치 있는 목적을 향해 달려갑니다. 약하고 우둔한 마음뿐인 사람은 목적조차 제대로 세울 수 없습니다. 사람들로부터 인정받지 못한다고 한탄만 하는 사람은 결코 성공할 수 없습니다. 그 사람은 누구보다 마음이 약하기 때문입니다. 우유부단하고 수시로 목표를 바꾸는 사람도 높은 성취를 이룰 수 없습니다. 반면에 정확한 목적의식과 목표를 마음에 품은 사람은 당장 누가 인정해 주지 않아도, 온갖 비난을 받아도, 자신의 결의를 꺾지 않습니다. 가슴에 굳은 목적을 간직한 사람에게 어려움과 약간의 문제 정도는 오히려 신선한 자극이며 새로운 능력을 발휘할 수 있는 좋은 기회일 뿐 그를 무너뜨릴 수 없습니다. 실패란 성공으로 다가가기 위한 계단일 뿐입니다. 온갖 어려움과 방해를 극복해야 평온함이 찾아옵니다.

새벽 기상을 하겠다고 다짐하고 인생 목표를 향해가는 것은 나의 생각과 행동을 바꾸면 반드시 가능합니다. 그러나 마음과 목표가 연결되지 않는 한 이루고자 하는 일은 이뤄지지 않습니다. 목표를 달성하기까지 여러 번 실패하더라도 그 과정을 통해 서서히 배울 수 있는 강인함이 확실한 성공으로 이끕니다. 실패는 자신을 성장시키는 하나의 발걸음에 지나지 않습니다. 인생의 모든 성과는 노력의 결과입니다. 인생은 노력과 실천의 연속입니다. 인생에는 그 어떤 우연도 존재하지 않습니다. 인생에서 일어나는 좋은 일, 나쁜 일은 모두 우리의 마음에 달려 있습니다. 스스로 환경과 인생을 만들어 가야 합니다. 결국 나의 내면이 내 인생을 만들어가는 것입니다.
나를 바꾸면 모든 것이 변합니다.

5. 단순한 삶의 루틴으로 인생 재설계

"성공의 정도는 개인의 성장 수준을 넘어서는 경우가 거의 없다. 왜냐하면 성공이란 당신이 어떤 사람이 되었느냐에 의해 다가오기 때문이다."
성공철학과 성공원리를 전해온 미 역사상 가장 영향력 있는 강사 중 한 명인 짐론의 말입니다.

성공은 내가 어떤 사람인가에 따라 다르다고 합니다. 성공을 하고 싶다면 우리가 하는 일보다 우리 개개인의 됨됨이가 훨씬 중요하다는 말이 됩니다. 개인의 됨됨이는 날마다 하는 일이 결정하게 됩니다. 더 나은 사람이 되기 위해서 자신의 시간과 에너지를 어떻게 소비하고 있는지 세심하게 관찰하면 그 사람의 됨됨이를 알 수 있습니다.

부자들은 자기 관리를 통해 남들보다 먼저 목적지에 도착합니다. 부자들을 연구한 책들을 보면 부자들은 확실한 자기 관리가 있습니다. 그리고 부자들의 60%는 평생 새벽 기상을 실천하며 삽니다.
찰리 멍거(워런 버핏과 40여 년을 함께 한 유일한 동업자이자 평생지기)는 신출내기 변호사로 시간당 20달러를 벌고 있었습니다. 그는 생각했습니다. '나에게 가장 소중한 고객은 누굴까?' 찰리는 자기 자신이야말로 가장 소중한 고객이라고 결론을 내립니다. 그래서 하루에 한 시간을 자신에게 팔기로 결심을 합니다. 그는 아침 일찍 일어나 건설 사업이나 부동산 관련 일을 하며 자신에게 한 시간을 썼습니다. 모든 사람이 자기 자신의 고객이 되어야 합니다. 자신을 위해 먼저 일하고, 그런 다음에 다른 사람을 위해 일해야 합니다. 자신을 위해 하루에 한 시간을 팔아야 합니다.

할 엘로드의 <미라클모닝 밀리어네어>에서 셀프리더

십을 키우는 4가지 원칙을 소개해줍니다. 오랜 세월 부를 축척하는 수많은 백만장자들이 실천해 오던 습관이 바로 셀프 리더십입니다. 그들은 첫째, 전적으로 자신이 책임을 진다. 둘째, 체력 관리를 우선시하고 즐겁게 운동한다. 셋째, 자신의 세계를 체계화한다. 넷째, 꾸준하게 정진한다.

할 엘로드가 말하는 셀프리더십을 기르면 자신의 삶을 주도적으로 이끄는 사람이 될 수 있습니다. 자신이 추구하는 가치와 신념, 자신의 비전을 확실하게 인지하면서 살아가게 됩니다.

성공하려면 삶이 단순해야 합니다. 머릿속이 복잡하고 주위가 정리되지 않는 상태에서 멋진 삶을 살아가기란 힘듭니다. 단순한 삶의 루틴으로 인생을 재설계해야 합니다.

규칙적인 운동을 하고, 건강한 음식을 먹고, 숙면을 취할 수 있는 생활 루틴을 만들어 꾸준하게 지킨다면 건강은 물론 하는 일도 올바른 방향으로 가며 비약적으로 발전하게 됩니다. 삶은 단순해야 합니다. 건강한 신체에서 건강한 정신이 나옵니다.

운동은 규칙적으로 자신에게 맞는 강도로 하는 것이 제일 좋습니다. 아침형이면 아침 시간에 반드시 운동 시간을 배치하는 것이 효율적입니다. 간단한 스트레칭부터 요가, 조깅 등 자신에게 맞는 운동으로 주 3회 이상 하는 것이 매우 좋습니다.

음식은 우리 신체의 에너지입니다. 그러하기에 무엇을 먹고 마시는지는 매우 중요합니다. 음식의 맛보다는 몸에 미치는 영향을 우선시해서 먹는 것이 좋습니다. 아침에 일어나면 먼저 물을 한잔 마시고, 건강한 음식으로 뇌에 연료를 공급해 줍니다. 매일 한 끼는 '살아 있는' 음식으로 먹는 것을 추천합니다.

숙면을 자야 합니다. 숙면을 자기 위해서는 취침 시간과 기상 시간이 일정해야 합니다. 새벽 기상을 실천하기 위해서는 일어나는 시간을 기준으로 충분히 휴식을 취하려면 몇 시에 잠자리에 들어야 하는지 판단해서 취침시간을 정해야 합니다.

성공하는 삶의 루틴의 설계가 인생의 성공 설계입니다. 집중력을 발휘해서 하고 싶은 일을 하고 꿈을 이루기 위해서는 생활공간의 정리도 필요합니다.

먼저, 집중하기 좋은 장소를 반드시 만들어야 합니다. 개인마다 차이가 있겠지만 카페 같은 공공장소에서 일할 때 집중이 잘 되는 사람은 카페에서 일하는 시간표를 정해 놓고 일을 하면 됩니다. 만약 재택근무를 하는 경우라면 집을 잘 정리하여 업무 공간을 확보해놓아야 합니다.

주의를 산만하게 하는 요소로부터 자신을 보호해야 집중력을 높일 수 있습니다. 알람 기능을 모두 꺼두거나 방해 금지 모드로 설정해 두어야 합니다. 특히 핸드폰의 사용을 절제하는 습관을 지녀야 합니다. 새벽 기상을 해서 황금 같은 새벽 시간을 핸드폰 사용으로 사용한다면 새벽 기상의 의미는 없는 것입니다.

아침은 모두에게 평등합니다. 새벽 기상을 실천하며 현재의 나와 미래를 나를 바꾸는 시간으로 활용하느냐

못하느냐는 철저히 본인 자신에게 달려있는 것입니다. 거듭 강조하는데 새벽 기상을 완벽하게 365일 지키려는 노력에 집중하지 말고, 새벽 기상을 해야만 하는 이유와 목적을 찾아서 나만의 시간을 확보해야 한다는 것이 중요합니다. 자기만의 단순한 삶의 루틴을 반드시 만들어야 합니다. 본인 만의 삶의 루틴들이 습관이 되면 성공과 부는 저절로 이뤄집니다.

<최고의 나를 꺼내라>의 저자 스티븐 프레스필드가 말합니다.

"우리는 대부분 두 개의 인생을 산다. 하나는 우리가 사는 인생이고, 다른 하나는 우리가 미처 실현하지 못한 인생이다."

스티븐이 말하는 우리가 미처 실현하지 못한 인생은 우리가 결단하고 결심만 하면 실현할 수 있습니다. 다만 그 결심 한 번으로 단번에 완성되지는 않습니다. 결심을 하고 이루고 싶은 꿈과 목표를 향해 꾸준하게 노력하면 언젠가는 이뤄집니다. 도전하고 성장하는 삶을 살아가는 사람들이 아침마다 이부자리를 박차고 일어날 만큼 재미있는 일을 하며 살 때 자연스럽게 돈도 그들에게 옵니다. 매일 새벽 시간은 우리의 꿈과 목표, 기대감을 되새기는 시간임을 기억해야 합니다.

2장

새벽 기상의 실전 방법

훈장님의 새벽 시간

제2화 새벽 기상 습관 들이는 실전 방법

1. 새벽 기상은 저녁부터 시작된다.

주 52시간 근무제 도입으로 일하는 방식도 차츰 변하게 되면서 일과 삶을 중시하는 경향이 강해지고 있습니다. 일을 떠나 개인적으로 쓸 수 있는 저녁 시간이 늘어났습니다. 더욱이 코로나 19가 전 세계적으로 유행하

면서 재택근무가 증가하고 퇴근 시간이 앞당겨지기도 했습니다. 저녁 시간이 늘어나면서 모두 저녁에 운동도 하고, 어학 공부도 해야겠다고 다짐을 단단히 하고 나만의 시간을 보내기 위해서 계획을 세웠을 것입니다. 그러나 현실에서는 그리 쉽게 계획대로 움직여지지 않습니다. 퇴근 후 집에 돌아오면 일단 좀 쉬고 싶은 마음이 들면서 느긋해집니다. 여유 있게 저녁 식사를 하고 무엇인가 좀 하고 나면 벌써 10시, 11시가 됩니다. 하루가 이렇게 가버리는 게 아쉬워 침대에 누워서 휴대폰을 만지작거리다 보면 결국 새벽이 되어서야 잠이 듭니다. 그러고는 다음 날 아침 늦잠을 자기도 하고, 일어났지만 잠을 잔 것 같지 않게 찌뿌둥하게 잠에서 깨어나기도 합니다. 매일 아침을 상쾌하게 그리고 보람 있게 시작하고 싶은 마음은 간절한데 쉽게 되지 않습니다.

새벽 기상을 성공적으로 하려면 저녁 습관부터 바꿔야 합니다. 저녁 습관은 지친 나를 돌보고, 하루를 완벽히 마무리함으로써 새로운 내일을 맞이하게 해주는 힘이 있습니다.

하루 일과를 마치고 집에 들어오면 모두가 피로하고 지친 상태입니다. 고생한 자신을 위해서 제일 먼저 손을 씻거나 샤워를 합니다. 샤워를 저녁 식사 전에 하기도 하고, 저녁 식사 후에 하기도 하지만 되도록 저녁 식사 전에 하는 것이 좋습니다. 퇴근한 주부라면 저녁 식사 준비에 정신이 없어 씻을 시간이 없겠지만, 10분 정도의 시간을 할애해서 깨끗하게 씻고 저녁을 준비하는 것도 좋습니다. 서둘러 목욕을 하기를 권하는 것은 씻는 동안 몸의 근육도 풀고, 온전히 자기만 있을 수 있는 욕실에서 자기 자신에게 오늘 하루 수고한 본인에게 감사의 인사를 하면 긴장도 풀리고 안정감이 생깁니다. 잠시라도 자기 자신을 토닥토닥하는 시간을 가지고 저녁을 시작하는 방법을 추천합니다.

저녁에는 하루를 마감하는 기분으로 새로운 것을 하기보다는 정리하면서 보냅니다. 새벽에 일어날 시간이 4시 30분이라면 최소 밤 11시 전에는 취침에 들어야 합니다. 저녁 식사를 하고 나면 여유시간은 대략 2~3시간 정도입니다. 이 시간에 차분하게 독서를 한다든지, 음악 감상을 한다든지, 가족과 거실에서 함께 독서를 해도 좋습니다. 또는 자녀들의 과제를 봐주면서 시간을 보내고 잠자기 1시간 전부터는 가족 각자의 개인 공간에서 개인 시간을 갖습니다. 혼자 사는 분이라면 이런 루틴을 만들기가 쉽겠지만, 여러 가족과 함께 사는 분이라면 쉽지 않을 것입니다. 하지만 제가 경험해 보니 부모님이 어떻게 지속적으로 이런 분위기를 만들고 지켜나가느냐에 따라 집안 분위기는 잡힙니다. 부모님이 집에서 TV 시청을 하면서 음주를 하고, 아무 계획 없이 시간을 보내는 일을 매일 하신다면 그 가족의 숙면과 새벽 기상은 힘듭니다.

제가 여러 가지 경험해 보고 지금까지 지키고 있는 저녁 루틴을 간단히 정리해 봅니다.

1. 퇴근 직후 몸을 깨끗이 씻고 편안한 옷으로 갈아입습니다.

2. 가족과 간단한 저녁 식사를 하면 대화를 합니다.

3. 가급적 TV시청은 하지 않는다. (주말에 시청)

3. 취침 최소 1시간 전부터 개인 시간을 갖는다. (독서, 공부)

4. 할 일을 다 하지 못했어도 잠자리에 들 준비를 한다.

5. 감사 일기와 내일 해야 할 일을 다이어리에 정리한다.

6. 알람을 맞추고 어둡게 침실을 만들어 취침한다.

저녁 루틴 중에서 가장 강조하고 싶은 것은 감사 일기 쓰기입니다. 마이애미대 심리학과 마이클 맥클로우(Michael.E McCullough) 교수에 따르면 감사하는 마음을 느끼는 순간 뇌 좌측 전전두피질이 활성화되어 스트레스가 완화되고 행복감을 느끼게 된다고 합니다.
UC데이비스 심리학과 로버트 에몬스(Robert Emmons) 교수 또한 한 실험에서 한 그룹에서는 감사 일기를 주기적으로 쓰게 하고, 한 그룹에게는 자유롭게 쓰고 싶은 것을 쓰게 했습니다. 한 달 뒤 감사 일기를 쓴 그룹의 행복지수가 높아진 것은 물론, 일이나 운동에서도 더 좋은 성과가 났다고 합니다.

감사 일기를 꼭 써야 하는 이유가 여기에 있습니다. 감사 일기를 쓰면 일기를 쓰는 행동이 뇌를 자극해서 긍정적인 감정을 활성화시킵니다. 대단한 감사가 아니어도 좋습니다. 오늘 기분 좋게 느낀 감정이나, 아주 사소해서 놓칠 수 있었던 감사를 적어보는 겁니다. 때로는 불행이라고 느꼈던 일이 오히려 감사한 일로 느껴지면 행복감이 밀려오는 경험을 하게 됩니다.
감사와 행복으로 하루를 마감하는 사람의 아침은 기적 같은 아침이 될 수밖에 없습니다.

"내일 일을 위하여 염려하지 말라.
내일 일은 내일이 염려할 것이요.
한 날의 괴로움은 그날로 족하니라.'
- 마태복음 6:34 -

2. 확실하게 새벽을 깨우는 법

운의 흐름을 타는 최적이 시간은 해 뜨는 아침 시간입니다. 매일 아침 평온한 마음 상태에서 잠시나마 나의 흐름을 느끼면서 좋은 기운으로 시작하는 사람은 반드시 성공합니다. 행운이 나에게 오고 있음을 느끼면서 매일 새벽마다 규칙적으로 하는 행동의 루틴을 정해 놓으면 좋은 습관으로 자리를 잡아 평생 새벽 기상이 가능해집니다.

버진그룹의 창업자이자 회장인 리처드 브랜슨(Richard Branson)은 50년이 넘도록 사업을 하면서 아침 일찍 일어났을 때 하루 동안 더 많은 일을 수행하고, 인생에서도 더 많은 일을 성취할 수 있음을 알게 되었다고 말합니다. 그는 세계 어디를 가든 아침 5시경에는 일어났습니다. 일찍 일어나면 운동도 하고, 가족과 시간도 보내고, 사업을 시작하기에 적당한 최상의 컨디션을 유지할 수 있게 만들어 놓는다고 합니다.

아침형 인간으로 사는 것은 그만큼 일을 열심히 하는 사람이라고 세상에 알리기 위해서가 아닙니다. 자신의 사업과 일을 성공시키기 위해 힘이 닿는 한 모든 역량을 동원하려는 자세입니다. 또한, 이를 위해 대부분 사람이 잠든 시간인 동틀 녘에 일어나는 것을 즐기는 경지에까지 이르게 됩니다.

아침 일찍 이부자리를 박차고 일어나는 것이 즐거워야 합니다. 그런 상태로 만들어야 새벽 기상이 가능합니다. 하지만 내일 알람이 울리면 전날에 넘치던 의욕이 싹 사라지고 언제나 그랬듯이 본인이 지금 일어나지 않아도 될 이유들을 합리화를 하면서 이부자리에서 나오지 못합니다. 몇 번 이런 식으로 새벽 기상을 실패하면 포기하고 맙니다.

아침에 일찍 일어나는 일은 결코 쉽지 않습니다. 그럼에도 불구하고 일어나서 아침계획을 실천하고 나면 자신에게 뿌듯함을 느끼는 감정은 말로 표현이 안 될 정도로 가슴 벅차게 좋습니다. 이 감정을 매일 새벽에 느끼고 하루를 시작하는 사람은 성공을 안 할 수가 없습니다.

처음엔 힘들지만 기상 의욕을 불러일으키는 좋은 습관을 소개합니다.

기상하고 싶은 의욕이 생겨야 알람이 울리면 바로 일어날 수가 있습니다. 이 습관을 지켜보도록 최소 21일간은 지속해 보기를 권합니다.

첫째, 잠자기 전에 아침의 할 일을 계획하라.

여행을 간다거나 설레는 일정이 다음날에 있다면 우리는 알람시계가 울리자마자 눈을 번쩍 뜨고 침대에서 나와 아침을 맞이합니다. 그때는 왜 그렇게 아침기상이 쉬웠을까요? 바로 기분 좋은 일정을 상상하고 기대했기 때문입니다. 아침 기상은 오로지 우리 자신의 마음먹기에 달려있는 것입니다. 그렇기에 자기 전에 내일 아침이 기다려지도록 계획을 세우고, 긍정적인 성과를 미리 머릿속으로 그려보고, 스스로 다짐도 하고 취침에 들면 반드시 아침기상을 즐겁게 할 수 있습니다.

둘째, 이부자리를 반드시 정리한다.

알람을 끄고 누운 상태에서 간단한 스트레칭을 하고 일어납니다. 그런 다음 바로 이부자리를 깔끔하게 정리를 합니다. 이부자리 정리의 효과는 아주 큽니다. 정리된 침대에 다시 눕지 않게 하는 효과가 있습니다. 또한, 이불만 갰을 뿐인데 침실이 단정한 느낌이 들면서 청소한 효과도 있습니다. 이불 개는데 걸리는 20초 내외이지만 하루를 시작하게 만드는 효과는 20배 정도는 됩니다.

셋째, 양치질을 한다.

우리의 입속은 밤사이 자는 동안 충치의 원인이 되는 플라그가 입안 가득 증식합니다. 기상 후 양치는 구취와 충치를 예방해 줍니다. 이른 아침에 양치를 하는 것이니 입안을 헹구는 물은 50℃ 정도의 따뜻한 물로 헹구어 주면 치아 건강도 지킬 수 있습니다. 또한, 치약의

세정제 성분이 찬물보다는 따뜻한 물에서 잘 녹아 치태가 더 잘 씻겨나간다고 합니다. 양치에 사용하는 상큼한 치약 향이 잠을 깨어나게 도와주기도 합니다.

넷째, 물 한 잔을 반드시 마신다.

아침에 일어나자마자 몸속에 수분을 공급해 주는 것이 매우 중요합니다. 6~8시간 수면을 하는 동안 물을 마시지 않았기에 우리의 몸은 약간 탈수 상태입니다. 일어나면 양치질을 하고 곧바로 약간 따뜻한 물을 한 컵(400ml)을 마셔주면서 밤새 빼앗긴 수분을 다시 보충해 줍니다. 공복에 따뜻한 물 한잔은 대장건강과 배변관리에 아주 특효입니다. 새벽의 좋은 습관으로 건강까지 관리하면 이것이야말로 일석이조(一石二鳥)의 효과입니다.

다섯째, 옷을 갈아입는다.

옷 복장이 사람의 마음가짐에 도움을 줍니다. 운동복을 입으면 운동하는 뇌로 인식해 운동할 몸 상태로 전환이 쉽게 됩니다. 그렇기에 새벽에 운동을 하기로 마음을 먹었다면 바로 운동복으로 갈아입는 것이 좋습니다. 저의 경우는 출근 준비를 바로 합니다. 주부이다 보니 새벽 시간을 보내는 중에 식구들의 출근과 등교준비를 해야 합니다. 그래서 바쁜 아침 시간에 저의 출근 준비 시간이 모자랍니다. 또한, 가족들의 욕실 사용의 번잡함을 줄여주는 효과도 있습니다. 잠도 깨고, 출근했다는 마음으로 책상에 앉아서 독서와 글쓰기 작업을 합니다.

다섯째, 새벽 기상을 함께 실천할 짝을 만들어라.

새벽 기상을 같이 할 사람들이나 새벽 기상 커뮤니티에 회원이 되면 좋습니다. 새벽 기상 습관이 몸에 밸 때까지 서로 격려하고 지원하고 지켜봐 주면 중도에 포기하지 않고 습관을 유지할 수 있습니다. 어두운 새벽에 혼자 깨어있는 것이 아니라 나와 같은 사람들이 많이 있다는 것만 알아도 힘이 나고 잘하고 있다는 느낌이 듭니다. 요즘엔 MKYU의 학장이신 김미경 강사님이 새벽 기상의 긍정 효과를 알리면서 많은 30~50 여성분들의 롤모델이 되어주고 있습니다. 이런 커뮤니티에 가입해서 함께 배우고 함께 습관 가져보는 것을 추천합니다. 또는 인스타에서도 새벽 기상 라이브를 하시는 분들이 많습니다. 함께하면 끝까지 갈 수 있습니다.

하루를 시작하는 아침은 인생의 모습을 결정짓는 가장 중요한 시간입니다. 설레는 기분으로 아침에 눈을 뜨고, 자신이 세운 목표에 따라 활기차고 생산적으로 아침 시간을 보내는 사람들은 인생에서 성공할 가능성이 높습니다. 알람이 울리면 인생을 바꿀 첫 번째 투자 기회가 왔다고 생각하고 일어나야 합니다. 아침은 하루가 우리에게 주는 선물입니다. 아무도 방해하지 않는 귀한 아침 시간에 이루고 싶은 꿈을 이뤄가면 됩니다. 세상의 다른 사람들이 잠들어 있을 때 자신이 바라는 삶을 창조하는 사람으로 거듭나야 합니다. 알람이 울리면 침대에 누워 더 잘지, 아니면 곧바로 자리에서 일어날지 잠깐 사이에 결정을 해야 합니다. 이 처음 몇 초 동안 자신을 통제하게 되면 향후 인생에 큰 이익이 반드시 돌아옵니다. 아침 일찍 일어나서 계획한 일을 실천하면 됩니다. 이 일을 반복하면 여러분의 '정체성'이 바뀌게 됩니다. 머지않아 아침 기상이 힘들지 않게 느껴지며 습관처럼 쉽게 일어나게 될 것입니다.

3. 새벽 시간 중요도

자기 계발 베스트셀러인 <성공하는 사람들의 7가지 습관>의 저자 스티븐 코비(stephen covey)는 "시간을 잘 관리한다는 것은 단순히 할 일 목록을 만들고, 이를 하나씩 지워 나가는 것을 의미하지 않는다."라고 지적합니다. 대신 "계획하고 우선순위를 정하고, 효율적으로 일하고, 다른 사람에게 일을 넘겨주는 법을 아는 것이 시간 관리다."라고 정의합니다.

이런 점을 지적하고 스티븐 코비가 '시간 관리 매트릭스'를 만들어냅니다. 일상에서 긴급하고 중요한 일, 긴급하지 않지만 중요한 일, 긴급하지만 덜 중요한 일, 긴급하지도 않고 덜 중요한 일로 총 4가지로 구분을 합니다.

구분	긴급함	긴급하지 않음
중요함	1순위 : 즉시 처리 (긴급하고 중요함) 예시) 보고서 마감, 미납요금 납부	**2순위 : 전략적 계획, 실행** (긴급하지 않으나 중요함) 예시) 자기계발, 운동, 독서
덜 중요함	3순위 : 축소, 위임 (긴급하나 중요하지 않음) 예시) 메일 처리, 친구들과의 수다	4순위 : 폐기 (긴급하지도 중요하지도 않음) 예시) 스마트 폰 보기, SNS, 게임

많은 사람들이 그다지 중요하지 않은 일인 스마트 폰 보기, 메일 확인하기, SNS 처리나 친구들과의 만남을 긴급한 일처럼 생각합니다. 진정으로 나를 위한 시간을 제대로 사용해야 합니다. 긴급하지는 않지만 중요한 일인 운동, 독서, 자기 계발에 시간을 잘 사용해야 인생의

행복과 나의 성공이 성큼 다가옵니다. 내가 성장하고 인생의 최고점을 찍기 위해서는 긴급하지 않으나 중요한 일에 주목해야 합니다. 그러나 이것은 회사 업무 시간이나 집안일을 하면서는 하기가 힘듭니다. 그러하기에 일부러라도 하루 24시간 중에서 나만의 시간을 가져야 합니다. 하루 시간이 정해져 있고, 생계를 위해 일을 하는 시간도 정해져 있으니 아무도 방해하지 않는 새벽 시간에 긴급하지 않지만 매우 중요한 일을 하는 것이 제일 좋습니다. 이 시간이 나의 성장시간이며 행복한 삶을 위한 준비 시간이 되는 것입니다.

'80:20의 원칙'으로 불리는 '페레토 법칙'이 있습니다. '이탈리아 인구의 20%가 이탈리아의 전체 부의 80%를 가지고 있다.'라고 주장한 이탈리아 경제학자 빌프레도 파레토의 이름을 따서 붙인 법칙입니다. 우리의 24시간 시간을 페레토 법칙에 비유해 보면, 하루 24시간에서 수면 7시간을 제외하면 실제 활동하는 시간은 대략 17시간 정도입니다. 17시간의 20%는 3~4시간 정도입니다. 24시간 중에 가장 밀도 있게 3시간을 활용하면 24시간을 지배할 수 있다고 생각하고 새벽 시간을 활용하는 겁니다. 꼭 아침 새벽 시간이 아니어도 됩니다. 본인이 올빼미형이라고 생각하면 저녁에 밀도 있는 시간을 확보하면 됩니다.

그러나 여러 연구와 경험자들의 증언에 의하면 저녁에 집중하는 것보다 아침에 집중하는 것이 좋다는 증언이 월등하게 많습니다.

영국 엑서터대학 제시카 오로린 박사 연구팀의 연구에 따르면 아침형 인간은 우울증 위험이 낮고, 더 행복하다고 합니다. 일찍 일어나는 사람들은 사회적 시계와 밀접하게 일치하는 작업 일정을 즐기면서 심각한 정신 건강 문제를 피할 수 있는 것으로 나타났습니다. 미국 하버드대와 MIT연구팀의 조사 결과에서도 아침형과 저녁형으로 수면 패턴을 분류한 후 우울증 발생 여부를 조사한 결과 1시간 일찍 일어나고 일찍 자는 사람들은 그러지 않는 사람들에 비해 우울증 발생 위험도가 23% 낮았다고 발표했습니다.

“오늘 하루는 최선을 다해 살지만, 인생은 되는대로 살고 싶다.‘”라고 한 이동진 영화평론가의 말도 인정합니다. 살아가다 보면 통제할 수 없는 것들이 많습니다. 하지만 최선을 다해서 사는 것에 초점을 맞춥니다. 새벽 시간만큼은 나를 위한 시간이니 철저하게 계획하고 밀도 있게 사용해야 합니다.

스티븐 잡스는 아침마다 거울을 들여다보고 이렇게 자문했다고 합니다.

“오늘이 생의 마지막 날이라면 오늘 내가 하려는 일이 만족스러울까?”

만약 여러 날 동안 계속 ’아니‘라는 대답이 떠오르면 스티브 잡스는 변화가 필요하다고 생각했다고 합니다.

내가 하려는 일에 만족할 때까지 정진하고 발전하는 삶을 살아가는 새벽의 시간으로 만들어야 합니다. 새벽 시간은 기존의 테두리에서 벗어나 다르게 생각해 보는 시간입니다. 한계 너머에 있는 자신을 바라보는 시간입니다. 새롭게 출발하는 시간입니다. 안전한 옛 껍데기에서 벗어나 더 널찍하고, 더 밝고, 더 좋은 것을 향해 나아가는 시간입니다.

4. 나만의 아침 루틴 만들기

곽금주 교수의 칼럼 「루틴 한 일상의 효과」에서 "루틴 한 패턴은 인간의 삶이 중요하고, 목적이 있는 것처럼 느껴지게 하고, 통제 가능하고, 살아가는 것에 대한 전반적인 이해를 돕는다."라면서 좋은 습관은 꾸준히 반복해 자동화되게 해야 한다고 말합니다.

규칙적인 루틴이나 구조화된 라이프 스타일은 일상을 예측 가능하게 합니다. 이런 생활은 스트레스를 줄여주고 자기 통제감을 향상 시킬 수 있습니다. 습관화된 활동은 시간적, 심리적으로 여유를 만들어 줍니다. 예전에는 한 가지만 해도 빠듯했던 시간이 루틴이 되면 같은 시간에 다른 과제도 할 수 있고, 더 큰 목표에 도전하는 기반이 됩니다.

예를 들면, 평소 아침에 일어나 커피만 마신다면, 내일부터는 커피를 내리는 동안 스트레칭을 하는 것입니다. 이것이 습관화가 되면 커피를 마시며 스트레칭을 한 다음 책을 읽는 행위로 이어가면 됩니다. 이렇게 사소한 행위라도 반복하고, 시간이 흘러 일정 시점에 도달하면 큰 노력을 들이거나 의식하지 않아도 그 습관을 유지할 수 있게 되는 것입니다. 곽금주 교수는 "더 중요한 것은 감당할 수 있는 작은 것부터 목표를 삼는 것이 습관 형성에 효과적"이라고 조언합니다. 좋은 작은 습관들이 쌓이면 어느 순간 일상에서 많은 성취를 할 수 있게 됩니다.

'루틴(Routine)' 단어의 뜻은 '최고의 능력, 최적의 수행을 위해 반드시 지켜야만 하는 절차'입니다. 불필요한 생각이 떠오르지 않게 단단한 정신적 무장을 위해 실행하는 일종의 의식입니다. 코리안 몬스터 메이저리거 류현진 선수는 경기가 있는 날이면 출근하는 시간, 경기장에서 옷 갈아입는 시간, 스트레칭 시간, 몸 푸는 시간, 경기장에서 옷 갈아입는 시간, 스트레칭 시간, 몸 푸는 시간, 마사지하는 시간, 캐치볼 시간을 분 단위로 쪼개 순서대로 칼같이 지키는 루틴이 있다고 합니다. 보통 스포츠 선수들이 경기를 앞두고 자신만의 루틴을 지키는 경우가 많습니다.

여러 새벽 루틴들을 실천해 보면서 실패도 하고 성공도 해보았습니다. 저만의 최적의 새벽 루틴을 간단하게 정리하면서 소개합니다.

1) 스트레칭을 하면서 다짐하기(명상하기)

알람을 끄자마자 스트레칭을 합니다. 기지개를 쭉 켜고, 발목 돌리기를 하고, 손과 발을 위로 올려 털기 운동을 여러 번 반복한 후 편하게 큰 대자로 누워서 어제 저녁에 계획한 새벽 할 일을 다시 되새김합니다. 기도와 명상을 하고 침대에서 일어납니다.

2) 필수 모닝 루틴 실천하기

새벽에 늘 하는 루틴화 된 것들을 시작합니다. 양치질을 한 후 체중을 체크합니다. 그리고 따뜻한 물을 400ml 마십니다. 기상 인증 사진(독서 사진)을 찍어 인스타에 인증을 합니다.

3) 긍정 확언 하기

긍정 확언이란 자기 확신 주문이라고 생각하면 됩니다. 긍정적 자기 암시의 말을 하면서 자신에게 격려를 전해주어 높은 성과를 불러오게 만드는 것입니다. 나를 행복하게 하고 설레게 하는 말들 그리고 가슴을 따뜻하게 하는 말들을 책상 앞에 붙여놓고 소리 내어 읽습니다. 될 수 있으면 긍정적인 문장으로 만들어야 합니다. 그냥 읽어서는 안 되고, 한 문장 한 문장 읽으며 매 순간 그 문장에 몰입해야 합니다. 지금의 내가 그 모습이라고 확신하며 읽으면 좋습니다.

저만의 긍정확언 몇 가지를 소개합니다.

나는 좋은 운을 끌어당긴다.

나는 좋아하는 일로 행복하게 일하며 자유로운 인생을 산다.

나는 내 모습을 있는 그대로 받아들이고 깊이 사랑한다.

나는 언제나 감사하는 마음을 지니며 산다.

나는 무한한 잠재력과 넘치는 열정이 있다.

나는 강한 인내심과 꾸준함을 가진 사람이다.

나는 지혜로우며 현명하다.

나는 삶의 모든 문제를 배움의 자세로 해결할 수 있다.

나는 사랑과 긍정이 흘러넘쳐 주변을 물들이는 사람이다.

나의 열정과 재능을 나누어 사회에 이바지한다.

나는 오늘도 최고의 하루를 만들 것이다.

매일 이렇게 나의 잠재의식에 긍정적인 인식을 넣어줍니다. 내가 나를 진정으로 믿어줄 때 내 안의 잠재력이 1000% 발휘될 수 있다고 믿습니다. 매일 새벽에 나에게 최면을 거는 겁니다. 새벽에 능력을 키우기도 하지만 자신을 믿는 힘을 키우는 것이기도 합니다. 자신의 무한한 능력을 믿어야 합니다.

4) 독서하기

독서는 습관이 되어야 합니다. 처음부터 많이 읽어내기 힘들기 때문에 처음에는 하루 10쪽 읽기에 도전합니다. 이 10쪽이 1년 모이면 3,650쪽이 됩니다. 200쪽짜리 책으로 계산하면 1년에 18권 이상을 읽는 셈이 됩니다.

독서로 인생의 지혜를 얻고, 이미 성공한 사람들의 길을 수월하게 따라갈 수 있는 지략을 배울 수 있습니다. 각자 자신의 성향이나 상황에 맞게 책을 읽으면 됩니다. 책을 쉽게 선택할 수 없다면, 인터넷 서점 사이트에서 스테디셀러나 베스트셀러 책들 중에서 골라 읽으면 됩니다. 새벽 독서의 집중도는 최고입니다. 새벽 독서는 반드시 해야 합니다. 폭풍 성장하게 하는 원동력은 바로 독서에서 나옵니다.

5) 운동하기

하루 10분 운동하기는 모두가 권합니다. 우리도 운동을 반드시 해야 한다고 알고 있습니다. 그런데 제일 실천하기 힘든 것이 바로 매일 운동하기입니다. 하루 생활을 하다 보면 운동 시간이 쉽게 생기지 않습니다. 그래서 아무도 방해하지 않는 새벽 시간에 운동 루틴을 넣어 놓습니다. 아침 공복 운동은 다이어트 효과에도 아주 좋습니다. 잠자는 동안 느려진 심장박동과 혈액순환 속도를 높이고, 폐에 새로운 산소를 채워주는 효과도 있습니다. 건강해야 하고 싶은 일을 다 할 수 있습니다. 건강이 뒷 받침 되어야 꿈도 이룰 수 있고 행복한 삶도 유지할 수 있습니다. 무엇보다 최우선은 운동하기라고 강조합니다. 우리 몸을 돌보고 관리하는 것은 우리 자신에 대한 의무이고 예의입니다.

처음부터 모닝 루틴을 모두 실천하기 힘듭니다. 습관화가 될 때까지는 많은 시행착오를 겪습니다. 중요한 것은 완벽하게 지키는 것보다 매일 지속적으로 하려는 노력이 더 중요합니다. 때로는 새벽 기상을 실천하는 일이 지겹고 힘들게 느껴지고 숙제처럼 느껴질 것입니다. 그럴 때마다 새벽 기상으로 이루고 싶었던 꿈을 기억하고 나와의 약속을 반드시 지키겠다고 다짐을 해야 합니다. 이렇게 매일 하루를 충실히 살아내다 보면 어느 순간 몸과 마음이 성장해 있는 것을 본인 자신이 제일 먼저 느끼게 됩니다. 미세한 기적들이 매일 쌓였기에 쉽게 무너지지 않을 것입니다. 습관이 한 사람의 인생을 결정하는 중요한 열쇠입니다. 좋은 습관을 많이 가진 사람이 성공합니다. 성공하고 싶다면 아침 습관부터 바꾸면 됩니다. 다른 삶을 살고 싶다면 어제와 다른 오늘을 살면 됩니다.

좋은 인생은 한주나 한 달 만에

형성되는 것이 아니다.

매일 조금씩 만들어지는 것이다.

지속적이고 꾸준한 노력이 필요하다.

-헤라클레이토스-

3장
새벽 기상의 긍정의 효과

훈장님의 새벽 시간

제3화 새벽 기상의 긍정의 효과

1. 미라클 모닝의 4가지 장점

"일찍 일어나는 새가 벌레를 잡는다. (The early bird catches the worm.)"라고 윌리엄 캠던(1551-1623)이 말했습니다. 아침 일찍 일어나 자신만의 의식을 치르는 행위에 어떤 힘이 있는지 탐구하는 사람일수록 목표를 이루며 부를 쌓을 가능성이 높습니다. 아침 시간은 하루의 방향을 결정짓는 시간입니다. 매일 아침 삶의 목적을 찾고, 자신을 단련하고, 성장에 필요한 영감을 불어넣는 것으로 시작하면 나머지 하루도 동일하게 움직이게 됩니다.
미라클 모닝을 체험하고 좋은 결과를 보게 되어 계속 실천하게 되는 좋은 점을 4가지로 정리해 봅니다.

1) 나만의 시간을 갖게 된다.

시간은 누구에게나 공평하게 하루 24시간이 주어집니다. 어느 누구에게도 1초의 추가 시간을 주지 않습니다. 새벽 기상은 단순히 일찍 일어나는 습관이 아니라 남들보다 하루를 더 길게 사는 마법과 같은 자기 계발 시간을 확보하는 일입니다.
직장생활과 가정생활을 병행하는 워킹맘으로 살아가는 것은 매우 체력적으로 정신적으로 힘든 일입니다. 자아계발과 운동에도 소홀할 수 없는 것도 사실입니다. 시간은 한정되어 있고 체력적으로도 한계가 있기에 주어진 시간 안에서 더 효율적인 방법으로 삶을 살아야 합니다. 그래서 찾아낸 효율적인 방법이 새벽 기상으로 나만의 시간을 확보하는 것입니다. 왜 꼭 새벽 시간이어야 하는가?

그것은 방해받지 않는 시간이 필요해서입니다. 일상생활에서 혼자만의 시간을 매일, 꾸준히, 규칙적으로 2시간 정도 통째로 온전하게 내 시간을 갖기란 쉽지 않습니다. 낮의 생활에서는 다양한 변수가 존재하기 때문에 새벽 시간만이 오롯이 나만의 시간이 될 수 있습니다. 이 시간에 하지 못했던 일, 해야 하는 일, 하고 싶었던 일, 미래를 위한 준비를 하는 것입니다. 내 삶의 도움이 되고 가치 있는 일을 하는 시간을 확보할 수 있는 점이 가장 큰 새벽 기상의 장점입니다.

2) 자존감 상승

새벽 기상을 계속 성공하면 자존감이 상승합니다. 매일 새벽 계획한 일을 이루어 가며 작은 성공들을 경험합니다. 이 성공의 경험들이 나는 무엇이든 해낼 수 있는 사람으로 스스로 여기게 합니다. 이루고자 하는 목표들을 세우고 하나씩 이뤄나가다 보면 이루고 싶은 목표가 커지는 동시에 자존감도 같이 상승하게 되는 경험을 합니다.

나를 성장시키기 위해서 책을 읽었을 뿐인데 글을 쓰게 되었고 책을 출간하게 됩니다. 한 권을 출간했는데 계속 책이 출간됩니다. 이루고 싶은 꿈이 더 생기게 되고, 행복감으로 매일 새벽을 맞이하게 되는 행복한 일상의 연속입니다. 지금까지 제가 해낸 모든 것은 새벽 기상 덕분입니다. 시작이 어렵지 시작하기만 하면 방법이 생깁니다. 새벽 기상을 못하고, 하고 싶지 않은 날이 많이 있겠지만 어떻게든 지속하려고 노력을 한다면 새벽 기상은 우리의 평범한 일상이 되어갑니다. 누가 시키지 않은 나만의 삶의 루틴이 되는 것입니다. 새롭게 태어나는 나만의 '시작' 시간입니다. 어제 죽은 이들이 그토록 간절하게 원했던 내일을 시작하는 새벽의 시간에 우리는 감사해하며 시작해야 합니다. 차분하고 평화롭게 시작하는 새벽 시간이 나에게 주어짐에 감사해하며 나를 충분히 사랑하는 시간으로 만들어야 합니다.

글을 쓰고 있는 지금도 저의 자존감은 급상승 중입니다.

3) 투자 대비 최고의 효과

'가성비(價性比)'라는 말이 있습니다. '가격 대비 성능'이라고도 불리며 소비자 혹은 고객이 지불한 가격에 비해 제품이나 서비스의 성능이 소비자나 고객에 얼마나 큰 효용을 주는지를 나타내는 용어입니다.

새벽 기상은 가장 가성비 좋은 자기 계발 방법입니다. 보통은 자기 계발을 해야겠다고 마음을 먹고 무언가를 새로 시작하면 보통은 반드시 비용이 듭니다. 자격증 공부든 운동이든 사용한 돈 대비 결과물이 나와야 자기 계발이 됩니다. 자격증 공부를 위해서는 강의료를 지불해야 하고, 운동을 위해서는 헬스장 비용을 지불해야 합니다. 자격증을 취득하거나 체중을 감량했다면 이것은 자기 계발비의 가치가 성공한 것입니다. 그러나 자기 계발을 위해 돈을 투자해서 좋은 결과를 도출해 낸다는 것이 쉬운 일이 아닙니다.

돈을 투자하지 않고 지극히 개인적인 자기만을 위한 자기 계발은 철저한 시간 관리와 실천력이 필요합니다. 매일 꾸준하게 지속하면서 점점 발전하는 자기 계발 방법은 새벽 기상밖에 없습니다. 일찍 일어나서 나 스스로 계획하고 실천만 하면 됩니다. 누구에게 돈을 1원도 지불하지 않아도 됩니다. 새벽 기상은 노력한 만큼 결실이 반드시 생길 확실한 투자 대비 최고의 효과를 창출할 수 있는 최고의 자기 계발 프로그램입니다.

4) 몰입의 시간 확보

서울대 황농문 교수의 <몰입>의 책에서 '몰입'은 한마디로 여러 가지 활동에 분산된 관심과 에너지를 중요한 한 곳에 모아서 집중하는 것이라고 설명합니다. 가장 흔하게 몰입을 경험하는 경우가 학교에서 시험 볼 때의 경험입니다. 열심히 문제를 풀다 보면 어느새 종

료 시간이 다 되었던 경험을 한 번씩은 해봤을 것입니다. 몰입을 하면 시간의 흐름을 인식하지 못합니다. 뇌과학의 관점에서 보면 어떤 활동에 대한 몰입도가 높다는 것은 그 활동과 관련해 활성화된 시냅스의 수가 많다는 것을 의미합니다. 주어진 활동에 숙련될수록 시냅스가 많아지므로 숙련도가 높아지면 몰입도 또한 높일 수 있습니다. 황농문 교수가 몰입 강도를 올리려면 일정 기간 동안 한 가지에만 집중하면 된다고 합니다. 공부할 때도 여러 과목을 공부하기보다는 한 과목만 집중적으로 공부하면 된다고 합니다.

새벽 기상으로 최고의 집중력을 끌어낼 수 있습니다. 새벽 시간에는 방해하는 사람이 없으니 몰입할 수 있는 최적의 조건이 마련된 겁니다. 낮에는 사람과 SNS로 인해서 몰입하기가 힘듭니다. 실제 우리의 낮 생활에서 조금만 다른 일에 집중하면 광고를 포함해서 메신저에 읽지 않은 대화들이 수십 개씩 쌓여 있습니다. 휴대전화로 인해 집중을 못하게 되는 경우가 다반사입니다. 하지만 새벽 4시 30분에 휴대전화로 우리를 찾는 사람은 없습니다. 집중하려고 마음만 먹으면 방해 없이 최고의 집중력을 끌어낼 수 있습니다.
이러한 양질의 시간이 차곡차곡 쌓이면 예상했던 것보다 훨씬 더 많은 변화를 가져올 수 있습니다. 같은 일을 낮에 하는 것과 새벽에 하는 것에 많은 차이가 납니다. 한마디로 새벽 시간에는 몰입도가 높아서 일을 양이 월등히 많습니다. 저는 새벽에 글쓰기를 하는데 확실하게 글씨기의 양이 낮보다 새벽 글쓰기의 양이 많습니다.

즐거운 몰입의 시간을 경험하고 나면 새벽 기상 시간이 기다려집니다. 새벽 기상을 하기 위해서 자연스럽게 일찍 취침에 들게 됩니다. 새벽 시간에 경험하는 독서, 글쓰기, 운동, 공부, 명상 같은 일들이 소중한 일상이 됩니다. 새벽 기상에 완전히 적응하면 혼자만이 만끽하는 1분 1초가 아깝다는 생각이 듭니다.

고도의 몰입에 이르는 순간 뇌에서는 신경전달물질 도파민이 분비됩니다. 몰입을 통한 즐거움은 마약을 복용했을 때만큼의 쾌감을 줍니다. 몰입을 통한 즐거움과 성취감을 반복적으로 맛보면 우리의 뇌는 학습을 하게 됩니다. 이 학습이 반복되면 습관이 됩니다. 새벽 기상을 습관화하면 새벽 기상은 즐겁고 행복한 일이 됩니다.

한정되어 있는 시간을 최고의 시간으로 활용하는 새벽 기상의 장점은 많습니다. 아침 시간을 확보함으로써 향후 발생할 문제를 예측하고 미연에 방지도 가능하다는 장점도 있고, 다른 사람들이 하루를 자신의 통제하에 두기 위해 바쁘게 움직이며 애쓰는 동안 아침을 일찍 시작하는 사람들은 침착하고 차분하게 평정심을 유지하며 계획대로 하루를 움직인다는 장점도 있습니다.

최근 스페인 바르셀로나대학의 연구진이 아침형 인간과 저녁형 인간을 조사했는데 여러 가지 차이점을 발견합니다. 아침형 인간은 저녁형 인간 더 끈기 있고 피로나 좌절, 난관을 헤쳐나가는 힘이 더 큰 것으로 나타났다고 합니다. 아침형 인간은 불안감이나 우울증, 약물 남용 가능성이 감소하고 삶에 대한 만족도가 더 높았다고도 합니다.

아침은 그냥 중요한 정도가 아닙니다. 상상하지도 못할 만큼 귀하고 소중한 시간입니다.

삶의 변화를 시키고 싶다면 당장 새벽 기상을 시작해야 합니다.

2. 지속 가능한 방법을 찾아라

아무리 좋은 것도 한 번만 실행하고 말면 아무 의미가 없습니다. 습관으로 만들어 오랫동안 유지하는 것이 좋습니다. 좋은 습관을 오랫동안 지속하기 위해서는 감정을 조절하고, 생활환경을 조성해서 지속하게 만드는 것이 핵심입니다.

영어 공부, 재테크, 운동, 다이어트, 독서, 글쓰기 이런 모든 것들의 출발선이 같다고 해서 모두가 같은 결과를 얻는 것은 아닙니다. 누군가는 성공하고 누군가는 실패를 합니다. 해내는 사람들의 비결은 바로 실행력과 지속력이라고 말할 수 있습니다. 여기서 인생의 격차가

벌어집니다. 성공하는 사람들은 늘 자신의 의지력을 잘 관리하고 노력을 습관화하는 생활을 합니다.

새벽 기상을 지속하기 위한 좋은 방법을 2가지로 정리해 보면 아래와 같습니다.

첫째, '계속' 해야 하는 일과 '더 많이' 해야 하는 일을 확실하게 구분해 놓는다.

지금 새벽 기상을 하면서 효과를 보는 일이 있으면 목록으로 정리해 둡니다. 앞으로 계속해야 할 일들을 결정할 때 성공 가능성을 높이는 일을 선택해야 하기 때문입니다. 새벽에 하고 싶은 일들을 여러 가지 시도하지만 모두 성공하지는 않습니다. 그중에서 재미도 있고 성과가 나는 일이 있을 수 있으니 잘 정리해 두면 좋습니다. '좋아하는 일'을 계속하면 좋겠지만 현실은 좋아하는 일만 하고 살 수 없습니다. 혹 앞으로 계속할 일이 먹고사는 직업이나 사업에 직접 관련될 수도 있고, 수익을 발생하는 일이 될 수도 있습니다.

그러나 새벽 시간에 계속해야 하는 일이 이루고 싶은 목표 달성에 별다른 도움이 안 된다면 과감하게 해야 하는 목록에서 제거해야 합니다. 새벽 기상을 지속적으로 하기 위해서는 비전을 이뤄나가야 지속적인 동기부여가 됩니다. 효과가 있는 일은 계속하되, 성취하고 싶은 목표와 수준에 따라 효과가 있는 일을 '더 많이' 하는 것이 좋습니다.

목표에 집중한다는 것은 '되어가는' 과정이 무엇보다 중요합니다. 시각화를 통해서 목표를 이룬 자기 자신을 상상해보기도 하고, 확신의 말을 작성해 두고 마음을 흔들릴 때마다 다짐하며 지속해나가야 합니다.

다이어리나 노트북에 ①계속해야 하는 일(더 많이 해야 할 일), ②새로 시작해야 하는 일, ③그만둬야 하는 일의 목록을 반드시 기록해 두고 실행한다면 새벽 기상을 해야만 하는 이유가 계속 생겨 지속할 수 있게 됩니다.

저의 계속해야 하는 일은 대표적으로 독서와 글쓰기입니다. 이것이 저의 비전이고 목표이기도 합니다. 새로 시작해야 하는 일은 대학원 공부입니다. 미루고 미뤄왔던 일인데 곧 시작할 예정입니다. 당장 그만둬야 하는 일은 아주 많습니다. 예를 들면 건강하지 않은 음식 먹지 않기, SNS 즉시 답장하지 않기(시간을 빼앗겨서 일의 흐름이 깨진다), 불필요한 집안일로 시간 낭비하지 않기 등 당장 개선하고 그만두면 좋은 일들도 기록해두고 개선하려 합니다.
할 일 목록을 세워두면 미라클 모닝에 더 집중할 수 있고 지속할 수 있습니다.

둘째, 새벽 기상 습관을 주위에 공개하고 함께 한다.

자기와의 약속을 철저하게 지키는 사람이 진정한 군자(君子)이고 성인(聖人)입니다. 자기만 알고 남은 모르기 때문에 그냥 지나칠 수 있지만, 내가 알고 하늘이 알고 땅이 알고 있다는 마음가짐으로 자기 자신과 맺은 약속을 철저하게 지키려 노력해야 합니다. 하지만 우리는 군자도 아니고 성인도 아니기에 의지력이 매우 약한 존재입니다. 그래서 스스로 약속한 것을 지키기 위해 주위에 공개하는 방법을 추천합니다. 남을 의식하지 않고 살 수 없는 현실을 역으로 이용하는 것입니다.

아침에 일찍 일어나는 것을 SNS에 인증하면서 커뮤니티 사람들과 함께 보내는 방법도 새벽 기상을 오랫동안 지속할 수 있는 좋은 방법입니다. 예를 들면 MKYU에서 '굿짹 월드' 새벽 기상 프로그램이 있습니다. 그런 모임에 참여하는 것이 아주 좋습니다. 처음에는 새벽 기상이 습관으로 잡히지 않았기 때문에 어떻게 새벽 시간을 보내야 하는지 알 수 없습니다. 성장을 꿈꾸는 사람들과 함께하면 저절로 실력이 비슷한 수준으로 끌어올려집니다. 혼자보다는 함께하면 좋습니다.

'유유상종(類類相從)'이라는 말이 있습니다. 비슷한 것들끼리 무리를 이루게 되고, 끼리끼리 모인다는 말입니다. 인생의 목표가 확실한 사람들을 가까이에 두고 함께 한다면 당연하게 우리도 그들과 닮아가려 할 것입니다. 타인을 거울삼아 자기 정체성을 확립해갈 수도 있습니다. 주위의 사람들을 보면 그 사람을 알 수 있다고 했습니다. 함께 성장하고 좋은 정보도 함께 공유한다면 이처럼 좋은 관계는 없습니다.

새벽 기상은 목표를 명확하게 하고 주변의 평가에 휘둘리지 않으며 꾸준함을 유지한다면 반드시 평생 좋은 습관이 될 것입니다. 새벽 기상을 잘하고 못하고 가 중요한 것이 아닙니다. 지금 무엇인가를 하고 있느냐 아니냐가 중요합니다. 자신을 움직이는 힘을 가지고 있는 사람은 무엇이든 해낼 수 있는 사람입니다. 이런 사람은 자기 성장을 멈추지 않습니다. 이루고 싶은 꿈을 향해 가면서 실패를 경험하지 않은 사람은 없습니다. 그 실패 경험에서 배우고, 아이디어를 얻고, 창조적인 생각을 해내고, 생각의 전환을 하게 되는 것입니다. 새벽 기상을 했다고 해서 모두 성공한 삶을 살지는 않습니다. 일찍 일어나는 것은 꿈을 이룰 수 있는 시간을 확보한 것입니다. 그 시간에 무엇을 어떻게 계획하고 실천하고 있느냐가 더 중요합니다. 작은 변화가 차곡차곡 쌓여 엄청난 위력을 발휘한다는 사실을 기억해야 합니다.

'물방울이 바위를 뚫는다.'라는 뜻을 지닌 '수적천석

(水滴穿石)'이라는 고사성어가 있습니다. 작은 노력이라도 끈기 있게 계속하면 큰 일을 이룰 수 있습니다. 과거에 어떤 모습이었든 현재를 바꾸면 미래가 바뀝니다. 삶에 큰 변화를 가져오기 위해 새벽 기상으로 딱 30일의 시간을 자신에게 선물해 보세요.

3. 꿈을 이뤄가는 새벽 기상

1925년 노벨문학상을 수상하고 95세의 나이로 생을 마감한 영국의 극작가 조지 버나드 쇼의 묘비에는 이렇게 새겨져 있습니다.

'우물 쭈물하다 내 이럴 줄 알았지!'

시간은 계속 흐르고 있습니다. 흐르는 시간이 아깝지 않고, 딱히 되고 싶은 것이나 하고 싶은 게 없는 사람들이 많습니다. 그저 먹고 자는 본능적인 삶에 집중하며 사는 사람들이 안타깝습니다. 현재의 생활이 편안하고 만족스러워 이렇게 살 수 있습니다. 하지만 이런 생활은 미래에도 변함없이 유지될 것이라고 보장할 수 없습니다.

바쁘게 사는 사람들이 더 많은 시간을 소유하고, 게으른 사람들은 시간이 없다고 늘 입에 달고 삽니다. 목표가 명확한 사람은 해내겠다고 말한 것을 정말로 이루기 위해 없는 시간을 만들어냅니다. 어렵게 만든 시간을 더 알차게 보내기 위해 공간, 환경, 주위 사람을 바꾸기도 합니다. 귀한 시간을 황금보다 더 귀하게 사용해서 남다른 성과를 이뤄냅니다.

삶은 어떤 것에 집중하고 사느냐가 중요합니다. 원하는 것에 집중하고 살고 있는지, 원하지 않는 것에 집중하며 살고 있는지에 따라 삶의 방향이 달라집니다. 이 모든 것의 선택은 오롯이 자기 자신에게 달려 있습니다.

니체는 <차라투스트라는 이렇게 말했다>에서 “많은

것을 보려면 자기 자신을 놓아버릴 줄 알아야 한다."라고 말했습니다. 집착하면 겉은 볼 수 있을지 몰라도 더 깊고 넓은 내면을 알 수 없습니다. 꿈을 이루기 위한 새벽 기상을 하기 위해서는 익숙한 습관을 끊어내야 합니다. 도움이 안 되는 것들은 과감하게 놓아버리고 버려버리는 용기를 가져야 합니다. 데이비드 소로는 "우리가 얻을 수 있는 부유함은 우리가 기꺼이 내려놓을 수 있는 물건의 숫자에 비례한다."라고 했습니다. 많이 소유한 삶이 반드시 행복한 삶이라고 할 수 없습니다. 무엇을 소유하기보다는 경험을 많이 소유한 삶이 더 행복한 삶일 수 있습니다. 삶은 배움과 경험의 연속으로 성장과 발전을 하게 됩니다.

심리학자 댄 길버트(Dan Gilbert)는 사람들은 늘 변화를 꿈꾸지만 "내 인생이 과연 달라질 수 있을까?"라며 자신의 삶의 변화에 대해서 늘 회의적인 것을 '역사의 종말 환상'이라고 말합니다. 스스로를 완성품이라 생각하기 때문에 미래의 변화보다는 현재의 상태가 지속될 것이라고 믿는 것입니다. 댄 길버트는 사람은 시간에 따른 가치관이 변화한다고 주장합니다. 나이가 들면서 자신이 중요하게 생각하는 가치는 꾸준히 달라지며, 가치관뿐만 아니라 성격도 변화시키며 선호도도 바뀐다고 주장합니다. 시간의 변화에 따라 우리는 꾸준히 변화하고 있으면서도 막연히 지금의 상태가 지속될 것이라 착각하는 것이죠. 원하는 삶이 있다면 지금부터 그 변화의 흐름에 올라타야 합니다. 변화는 지금부터 시작입니다. 꿈을 꾸고, 꿈을 좇는 행동은 인간에게만 허락된 특권입니다. 그런데 많은 사람들이 도중에 꿈을 포기해버리고 맙니다. 그것은 아마 꿈을 이루는 방법을 모르기 때문입니다. 하루를 만족스럽게 보내기 위해서는 자존감을 높이고, 매일 작은 성취를 느끼며 주체적으로 삶을 살면 됩니다. 그런 삶의 첫 시작은 바로 새벽 기상입니다. 아침을 지배하는 자가 인생을 지배할 수 있습니다. 실제로 많은 성공한 사람들이 목표를 이루기 위해 아침 시간을 충실히 보냅니다.

늘 같은 패턴을 반복하면 늘 같은 일만 하게 됩니다. 결과도 당연히 같습니다. 반대로 사소한 행동이라도 변화를 주면 생각이 바뀌면서 예상 밖의 결과가 나타나기도 합니다. 아침을 어떻게 보내느냐에 따라 그날의 하루가 달라집니다. 아침이 달라지면 인생이 달라집니다.

일생의 계획은 어릴 때에 있고,
일 년의 계획은 봄에 있고,
하루의 계획은 새벽에 있다.
어려서 배우지 않으면 늙어서 아는 것이 없고
봄에 밭을 갈지 않으면 가을에 바랄 것이 없으며
새벽에 일어나지 않으면 그날의 할 일이 없다.
공자의 <삼계도>중에서

일 년의 계획은 봄에 있고, 하루의 계획은 새벽에 있습니다. 최고의 아침을 보내면 최고의 하루를 보낼 수 있습니다.

새벽 기상이 처음부터 성공할 것이라는 욕심을 버려야 합니다. 천천히 조금씩 앞으로 나아가면서 적응해 가면 됩니다. 반드시 성공해야 한다는 강박도 내려놓아야 합니다. 새벽 기상이 실패했다고 완전히 포기하지 말고, 다시 시작하는 것에도 거부감을 갖지 않아도 됩니다. 재시도할 때는 처음보다 더 빠르게 발전할 수 있습니다. 기존의 방식이 성공적이지 않았다는 것이 패배를 의미하지는 않습니다. 다른 방법을 찾아내야 한다는 사실을 깨닫는 소득이라고 여기면 됩니다.

꾸준하게 무엇인가 해나가면 반드시 이뤄집니다. 꾸준하게 할 수 있는 비결은 총 3가지입니다.

첫째, 반복해서 하기. 둘째, 즐겁게 하기. 셋째, 지혜롭게 쉬기

새벽 기상이든 취미 생활이든 자기 계발이든 한번 시작한 일을 꾸준하게 유지하려면 습관을 넘어 일상의 한 부분이 될 수 있도록 반복해야 합니다. 꾸준하게 하는 것과 완벽하게 하는 것은 다릅니다. 무엇인가를 꾸준하게 한다는 것은 실수가 잦아도, 큰 변화가 보이지 않아도, 지루하더라도 계속 다시 하는 것입니다. 지치지 않고 반복하다 보면 결국 최종 결과에 다다르게 됩니다.

공자께서 "어떤 사실을 아는 사람은 그것을 좋아하는 사람만 못하고, 좋아하는 사람은 즐기는 사람만 못하다.(知之者不如好之者, 好之者不如樂之者)"라고 했습니다. 즐겁게 일을 할지 말지는 내가 선택하는 것입니다. 이왕이면 즐겁게 하겠다고 선택하는 것을 강조합니다. 일이든 운동이든 취미활동이든, 하고자 하는 일들은 물론 하기 싫은 일도 어떻게 하면 즐겁게 할 수 있을지를 제일 먼저 생각해야 합니다. 즐거움이 없으면 아무리 열심히 해도 실패할 확률이 높습니다. 즐거움을 자주 표현하고 다른 사람들과 공유하면 좀 더 쉽게 즐겁게 할 수 있습니다.

마지막으로 꾸준하게 하는 것도 중요하지만 휴식도 매우 중요합니다. 잘하다가도 무기력증과 비슷한 슬럼프가 옵니다. 그럴 때는 아무 미련 없이 쉬어줍니다. 반드시 새벽 기상을 실천해야 한다는 강박에서 벗어나 몸이 쉬고 싶다는 증거이니까 편하게 쉬어줍니다. 그러면 금

세 다시 활력을 되찾게 됩니다.

잘 쉬는 방법 중 제일 효과적인 것은 지치기 전에 미리 쉬는 것입니다. 지칠 때 쉬는 것과 지치기 전에 쉬는 것은 확실한 차이가 있습니다. 모든 에너지가 소비된 상태일 때는 긴 회복 시간이 필요합니다. 육체적, 정신적으로 모두 지쳐 있으니 자신감도 잃게 되고 앞으로 잘할 수 있을지, 그냥 여기서 그만 포기해야 하는지 의심을 하게 됩니다. 그렇기에 지치기 전에 주기적으로 쉬는 시간을 갖는 것이 좋습니다. 그래야 지치지 않고 꾸준하게 새벽 기상을 할 수 있습니다. 반드시 휴식 시간을 가져야 합니다. 저는 피곤하면 낮에 잠깐 10분이라도 낮잠을 잡니다. 그래야 오후를 살 수 있습니다.

꿈꾸는 자는 반드시 꿈을 이루게 됩니다. 꿈조차 없는 사람은 불행한 사람입니다. 영화나 드라마를 보면 존재감이 없는 엑스트라가 많이 나옵니다. 그들은 영화나 드라마에서 소품 같은 존재입니다. 과연 우리가 영화의 주인공처럼 사는지 엑스트라처럼 사는지 곰곰이 생각해봐야 합니다.

관계 심리학 손정필 교수가 엑스트라의 특징을 7가지로 정리를 했습니다.

1. 순간순간 되는대로 한다.

2. 좌절을 쉽게 한다.

3. 희망이 보이지 않는다.

4. 어쩔 수 없이 한다.

5. 늘 피곤하다.

6. 자신이 누구인지 잘 모른다.

7. 반전이 없다.

위의 엑스트라의 7가지 특징을 반대로 실천하면 우리는 각자 자신의 인생 무대에서 주인공으로 살아갈 수 있습니다. 영화나 드라마에 반전을 이룰 만한 굴곡이 있듯이 우리 삶에도 반드시 자신만이 넘어야 할 인생의 굴곡이 있습니다. 현재 상황이 힘들고 괴롭거나 혹은 포기하고 싶어질 정도의 상황이라면 자신이 원하는 방향에 대한 긍정적인 시나리오를 만들어야 합니다. 그리고 원하는 시나리오에 대한 믿음을 가지고 자신만의 인생을 멋지게 연출해 나가면 됩니다.

쉽게 얻은 것은 그만큼 쉽게 잃게 됩니다. 힘들이지 않고 어떠한 것을 이룰 수 있는 것은 없습니다. 어떠한 것을 얻으려면 그것을 얻기 위한 과정을 겪어야만 합니다. 그리고 그 과정에는 좌절과 아픔이 있습니다. 독수리가 더 높은 창공으로 비행하기 위해서는 조그만 상처는 두려워하지 않습니다. 우리들도 살아가면서 겪데 되는 어려움을 견디고 이겨내려고 노력하다 보면 성공과 행복은 우리에게 다가와 있을 것입니다.

독자분들이 새벽 기상을 통해 삶의 새로운 의미를 찾기를 바라며 그 여정에 응원을 보냅니다. 인생은 꿈꾸는 자의 것임을 반드시 기억하세요.

한창때는 다시 오지 않고

하루가 지나면 그 새벽은 다시 오지 않는다.

때가 되면 마땅히 스스로 공부에 힘써야 하며

세월은 사람을 기다리지 않는다.

-도연명-

에필로그

진짜 나 자신의 삶 살기

행복하게 살아가는 방법에는 두 가지가 있습니다. 하나는 자신에게 의미 있는 일을 찾아서 그것만 하면서 살아가는 방법이고, 다른 하나는 자신이 하는 일에 의미를 두면서 살아가는 것입니다. 무엇을 하든 누구와 함께 있든 간에 그 순간에 의미를 찾고 의미를 두면 행복한 삶을 살 수 있습니다.

열심히 산다고 해서 잘 사는 것은 아닙니다. 새벽 기상을 하는 삶은 다른 사람보다 열심히 사는 사람으로 여겨질 때가 있습니다. 열심히 사는 것은 맞지만 열심히 살기만 할 뿐 지혜롭고 의미 있는 삶이 아닐 수 있습니다. 열심히 살아간다는 것은 주어진 상황이나 환경에 적응하기 위하여 최선을 다하는 것일 수 있습니다. 학생으로서, 직장인으로서 혹은 가정의 어머니와 아버지로서 자신이 해야 하는 일을 열심히 하기 위해 최선을 다하며 살아갑니다. 그런데 습관처럼 열심히 사는 인생에 어느 순간 무기력해짐이 생길 수 있습니다. 열심히 살아야 하는 근본적인 이유와 목표가 없기에 지치게 됩니다.

지혜롭게 살아야 합니다. 무조건 열심히 살지 말고 변화를 예측하고 어떤 세상이 올지 생각하면서 사는 것이 더 중요합니다. 오늘만 살지 말고 내일에 대한 희망을 가지고 살아야 합니다. 살아야 하는 이유를 스스로 정해 놓고 오늘을 살아가는 것이 지혜롭게 사는 사람입니다.

인생은 1등 하는 것이 중요한 것이 아닙니다. 자신의 길을 성실히 가는 '오직 나만의 길'을 가는 삶의 태도가 중요합니다. 자기 자신답게 살아가는 것이 제일 중요합니다.

나의 삶의 길을 이제야 찾았습니다. 새벽 기상을 4년 동안 실천하면서 나를 조금은 알게 되었습니다. 사랑을 받지 못한 결혼 생활에서 존재가치 없는 사람 같은 좌절감을 느꼈었습니다. 그 불행한 상황이 모두 내 탓이라고 말하는 상대방의 말을 그대로 받아들이고 정말 '내 탓'으로 받아들였습니다. 책을 통해 치유하고 나를 보듬어주고 알아차림을 하면서 '내 탓'이 아니라 '네 탓'이라는 사실을 알게 되었습니다. 객관화할 수 있는 시야를 가지게 되었고, 나만의 길을 가고자 하는 확신이 들어서 각자의 길을 가기로 결정을 하게 된 것입니다.

현재는 각자의 삶에서 최선을 다하고 잘살고 있으며, 자녀들에게도 부끄럽지 않은 부모의 모습을 보여주고 있어 잘한 선택이라고 여기며 살고 있습니다.

이런 결과까지 올 수 있었던 것은 새벽 기상 덕분입니다. 고요한 시간, 나만의 시간, 온 우주의 기운이 모인 그 시간을 헛되이 쓰지 않았습니다. 이루고 싶은 꿈에 집중했습니다. 미친 듯이 책을 읽고 글을 썼습니다. 직장 일을 더 잘할 수 있는 방법을 연구했습니다. 놀라울 정도로 모든 것을 다 이뤘습니다. 세상의 기준으로 몇십억의 수입이 생긴 것은 아니지만 저의 기분엔 몇십억의 수입이 생긴 기분이 듭니다.

성공과 실패라는 것은 삶의 절대적인 조건들에 의해서 결정되는 것이 아니라, 주어진 조건 속에서 무엇을 발견하고 어떤 의미를 찾아내는 가에 따라서 달라집니다. 같은 상황을 '그것 때문에 못한다.'라고 불평하지 말고, '그것 덕분에 할 수 있었다.'라고 받아들이는 마음을 가지면 결과는 완전히 다르게 나타납니다. 저의 불행한 결혼 생활 덕분에 저는 살길을 늘 스스로 찾았고, 찾는 과정에서 능력을 키워나간 덕분에 홀로서기를 쉽게 할 수 있었습니다.

각자의 삶을 사는 것입니다. 똑같은 삶을 사는 사람은 없습니다. 똑같이 가지고 있는 것은 시간밖에 없습니다. 새벽 기상으로 오직 나만의 삶을 만들어 가세요. 한계를 긋지 말고, 무한한 나의 가능성을 믿고, 잠재력을 펼쳐보시기 바랍니다. 독자분들의 꿈을 응원합니다.